ᐃᒃᐱᙱᐊᓃᑦ
IKPINGNIANIIT
FEELINGS

ᑎᑎᖅᑐᒐᖅᑐᖅ
ᐃᒪ ᐲᑐᓴᓐ
TITIQTUGAQTUQ ILLUSTRATED BY
Emma Pedersen

ᖁᕕᐊᓱᒃᑐᖓ.

Quviasuktunga.

I am happy.

ᓄᒫᓱᒃᑐᖓ.

Numaasuktunga.

I am sad.

ᑲᑉᐱᐊᓱᒃᑐᖓ.

Kappiasuktunga.

I am scared.

ᖁᕕᐊᑦᑕᒃᑐᖓ.

Quviattaktunga.

I am excited.

ᓂᖖᒐᐅᒪᔪᖕᒐ.

Ninngaumajunga.

I am angry.

ᑭᐱᙵᔪᖓ.

Kipinngajunga.

I am bored.